中华人民共和国行业标准

酸性烟气输送管道及设备内衬施工技术规程

Technical specification for construction of lining of acidic gas pipeline and equipment

YS/T 5429 - 2016

主编部门：中 国 有 色 金 属 工 业 协 会
批准部门：中华人民共和国工业和信息化部
施行日期：2 0 1 6 年 9 月 1 日

中国计划出版社

2016 北 京

中华人民共和国行业标准

酸性烟气输送管道及设备内衬

施工技术规程

YS/T 5429-2016

☆

中国计划出版社出版发行

网址：www.jhpress.com

地址：北京市西城区木樨地北里甲11号国宏大厦C座3层

邮政编码：100038　电话：(010) 63906433（发行部）

北京市科星印刷有限责任公司印刷

850mm×1168mm　1/32　1.75印张　38千字

2016年8月第1版　2016年8月第1次印刷

印数1—3000册

☆

统一书号：155182·0049

定价：19.00元

中华人民共和国工业和信息化部

公 告

2016 年 第 17 号

工业和信息化部批准《不锈钢烧结网》等 587 项行业标准(标准编号、名称、主要内容及实施日期见附件 1),其中机械行业标准 156 项、汽车行业标准 35 项、船舶行业标准 33 项、制药装备行业标准 16 项、化工行业标准 45 项、冶金行业标准 35 项、有色金属行业标准 24 项、轻工行业标准 26 项、纺织行业标准 49 项、电子行业标准 72 项、通信行业标准 96 项;批准《铝合金 7A52 光谱单点标准样品》等 3 项有色金属行业标准样品(标准样品目录及成分含量表见附件 2),现予公布。行业标准样品自发布之日起实施。

以上机械行业标准由机械工业出版社出版,汽车行业标准由科学技术文献出版社出版,船舶行业标准由中国船舶工业综合技术经济研究院组织出版,制药装备行业标准和有色金属行业工程建设标准由中国计划出版社出版,化工行业标准由化工出版社出版,冶金行业标准由冶金工业出版社出版,有色金属、纺织行业标准由中国标准出版社出版,轻工行业标准由中国轻工业出版社出版,电子行业标准由工业和信息化部电子工业标准化研究院组织出版,通信行业标准由人民邮电出版社出版。

附件 1:587 项行业标准编号、名称、主要内容等一览表
附件 2:3 项有色金属行业标准样品目录及成分含量表

工业和信息化部
2016 年 4 月 5 日

附件 1:

587 项行业标准编号、名称、主要内容等一览表

序号	标准编号	标准名称	标准主要内容	代替标准	采标情况	实施日期
……						
有色金属行业						
……						
343	YS/T 5429-2016	酸性烟气输送管道及设备内衬施工技术规程	本标准主要内容有:总则、术语、基本规定、基层处理、块材内衬、钾水玻璃砂浆内衬、玻璃鳞片内衬、其他内衬、安全技术要求、环境保护和职业健康安全。 本标准适用于内径 1100mm 及以上的金属或混凝土材质的有色金属冶炼酸性烟气输送管理及附属设备现场内衬施工			2016-09-01
……						

前　言

根据工业和信息化部《工业和信息化部办公厅关于印发2013年第一批行业标准制修订计划的通知》(工信厅科〔2013〕48号)的要求,《酸性烟气输送管道及设备内衬施工技术规程》由金川集团工程建设有限公司和贵州建工集团第四建筑工程有限责任公司会同有关单位编制完成。

本规程在编制过程中,编制组经广泛调查研究,认真总结有色金属冶炼酸性烟气输送管道及设备内衬的施工经验,并借鉴了有关标准,在广泛征求意见的基础上,经过反复讨论、修改和完善,最后经审查定稿。

本规程共分11章,主要内容包括总则、术语、基本规定、基层处理、块材内衬、钾水玻璃砂浆内衬、玻璃鳞片内衬、其他内衬、安全技术要求、环境保护和职业健康安全。

本规程由工业和信息化部负责管理,由有色金属工业协会提出,由中国有色金属工业工程建设标准规范管理处负责日常管理,由金川集团工程建设有限公司负责具体技术内容的解释。

本规程在执行过程中,请各单位总结经验,积累资料,如有意见和建议请反馈至金川集团工程建设有限公司(地址:甘肃省金昌市金川西路32号,邮政编码:737100),以供今后修订时参考。

本规程主编单位、参编单位、主要起草人和主要审查人:

主编单位:金川集团工程建设有限公司
贵州建工集团第四建筑工程有限责任公司

参编单位:中十冶集团有限公司
金川镍钴研究设计院有限责任公司
八冶集团有限公司

九冶建设有限公司
七冶建设有限责任公司

主要起草人：王玉柱　赵　勇　姚志刚　杨正茂　张明雄
陈瑛卿　牛万林　赵新荣　王　磊　王毓龙
卢跃池　张劲松　王万忠　何永安　刁　川
杨以林　屈彩芳　韩　健　王　宏　陈文学
姜　宏　陈　静　袁志宏

主要审查人：原　宏　章仕军　李　汇　黄志远　张诗光
苏　明　李向才　颜非亚　李朝方　成　毅
陈延虎　陈俊祥

目　　次

1　总　　则 ……………………………………………………（1）
2　术　　语 ……………………………………………………（2）
3　基本规定 ……………………………………………………（3）
4　基层处理 ……………………………………………………（4）
5　块材内衬 ……………………………………………………（5）
5.1　一般规定 ……………………………………………………（5）
5.2　施工工艺 ……………………………………………………（5）
5.3　质量要求 ……………………………………………………（8）
6　钾水玻璃砂浆内衬 ……………………………………………（9）
6.1　一般规定 ……………………………………………………（9）
6.2　施工工艺 ……………………………………………………（9）
6.3　质量要求 ……………………………………………………（11）
7　玻璃鳞片内衬 …………………………………………………（12）
7.1　一般规定 ……………………………………………………（12）
7.2　施工工艺 ……………………………………………………（12）
7.3　质量要求 ……………………………………………………（13）
8　其他内衬 ……………………………………………………（15）
8.1　管道伸缩节内衬 ……………………………………………（15）
8.2　管道与设备间的补强内衬 …………………………………（15）
8.3　施工孔洞的封堵与内衬 ……………………………………（16）
9　安全技术要求 …………………………………………………（17）
10　环境保护 ……………………………………………………（18）
11　职业健康安全 ………………………………………………（19）

本规程用词说明 …………………………………………………… (20)
引用标准名录 ……………………………………………………… (21)
附:条文说明 ……………………………………………………… (23)

Contents

1 General provisions ······ (1)

2 Terms ······ (2)

3 Basic requirement ······ (3)

4 Base treatment ······ (4)

5 Block material of lining ······ (5)

5.1 General requirements ······ (5)

5.2 Construction technology ······ (5)

5.3 Requirements of quality ······ (8)

6 Potassium silicate cement mortar lining ······ (9)

6.1 General requirements ······ (9)

6.2 Construction technology ······ (9)

6.3 Requirements of quality ······ (11)

7 Glass flake lining ······ (12)

7.1 General requirements ······ (12)

7.2 Construction technology ······ (12)

7.3 Requirements of quality ······ (13)

8 Other lining ······ (15)

8.1 Lining of pipeline expansion joint ······ (15)

8.2 Reinforcing lining between pipeline and equipment ······ (15)

8.3 The lining and seal of the construction hole ······ (16)

9 Safety requirements ······ (17)

10 Environmental protection ······ (18)

11 Occupational health and safety ······ (19)

Explanation of wording in this specification ·················· (20)
List of quoted standards ··· (21)
Addition: Explanation of provisions ························· (23)

1 总　　则

1.0.1 为规范有色金属冶炼酸性烟气输送管道及设备内衬施工，加强施工技术管理和过程控制，确保施工安全和质量，制定本规程。

1.0.2 本规程适用于内径 1100mm 及以上的金属或混凝土材质的有色金属冶炼酸性烟气输送管道及附属设备现场内衬施工。

1.0.3 有色金属冶炼酸性烟气输送管道及设备内衬施工除应符合本规程外，尚应符合国家现行有关标准的规定。

2 术 语

2.0.1 酸化 acid washing

通过稀酸对内衬层的清洗，使不稳定的成分与稀酸产生反应而析出，从而提高内衬层的耐酸性烟气腐蚀稳定性。

2.0.2 黏结强度 bonding strength

涂层与基层表面、涂层与涂层之间、涂层与砌体之间形成的单位面积上的附着力。

2.0.3 浸酸安定性 stability of pickling acid

固体材料在受到酸液浸泡后，其密度、强度、内部均匀性、形状或形态等物理性质不易被改变的特性。

2.0.4 耐酸度 acid resistance

材料抵抗酸腐蚀的能力，以浸酸后材料固有形态、质量的保留率为检测指标，又称耐酸率。

2.0.5 重涂时间 repainting time

上道涂层施工完毕，下道涂层开始施工的最小间隔时间。

3 基本规定

3.0.1 原材料的品种、规格、性能应符合设计和规范要求，材料进场时应提供出厂合格证、检测报告和使用说明书。

3.0.2 内衬施工前应对设备和管道进行系统性试验，并应对基层进行外观检查和处理，验收合格后方可进行内衬施工。

3.0.3 施工环境温度宜为10℃～30℃，并应符合下列规定：

1 聚酯、乙烯基酯树脂类材料的施工环境温度低于5℃时，应对施工环境采取加温措施；

2 环氧树脂、呋喃树脂、钾水玻璃的施工环境温度低于10℃时，应对施工环境采取加温措施；

3 严禁直接使用明火或蒸汽对施工环境进行加温。

3.0.4 施工和养护环境相对湿度不宜超过80%。

3.0.5 胶凝材料应在现场进行小样试验确定施工配合比，当施工工艺或环境发生改变时，应重新进行小样试验。

3.0.6 不同厂家的胶凝材料不宜混合使用，初凝的材料不得用于施工。

3.0.7 内衬施工及养护期内应做好成品保护，不得撞击、敲打内衬层，不得在设备及管道内外壁进行热切割、焊接等动火或高温作业。

3.0.8 内衬层养护期限应根据材料性能、环境条件，并参照同条件试块的强度确定。

3.0.9 在施工或固化期间，内衬层不得与水或水蒸气接触，不得受化学介质污染。

4 基层处理

4.0.1 金属基层表面处理应符合下列规定：

1 除锈等级应符合设计要求，设计无要求时，树脂胶泥块材内衬、纤维增强塑料内衬、玻璃鳞片胶泥内衬除锈等级不应低于Sa2.5级；

2 钾水玻璃胶泥块材内衬、钾水玻璃胶泥内衬的除锈等级不应低于St3级或Sa2级。

4.0.2 金属基层表面质量应符合下列规定：

1 基层表面应无砂眼、焊渣、毛刺；

2 完成处理的金属表面质量等级标准应符合现行国家标准《涂覆涂料前钢材表面处理　表面清洁度的目视评定　第1部分：未涂覆过的钢材表面和全面清除原有涂层后的钢材表面的锈蚀等级和处理等级》GB/T 8923.1的有关规定。

4.0.3 混凝土基层表面处理应符合下列规定：

1 基层表面凹陷部位应使用细石混凝土或聚合物砂浆进行修补，养护完成后应按照新的基层进行验收；

2 完成处理的混凝土基层表面的浮浆、油污应进行清理，宜采用机械打磨的方法清理。

4.0.4 混凝土基层表面质量应符合下列规定：

1 基层应坚固密实，基层强度应满足设计要求，不得有起砂、脱壳、裂缝、蜂窝麻面现象；

2 基层表面20mm深度内含水率不应大于6%；

3 基层的质量要求除应符合本规程的规定外，尚应符合现行国家标准《建筑防腐蚀工程施工规范》GB 50212和《工业设备及管道防腐蚀工程施工规范》GB 50726的有关规定。

4.0.5 内衬施工前应对基层进行验收，并应办理工序交接手续。

5 块材内衬

5.1 一般规定

5.1.1 块材的质量应符合国家现行标准《耐酸砖》GB/T 8488 和《耐酸耐温砖》JC/T 424 的有关规定。

5.1.2 砌筑胶泥用树脂的质量应符合下列规定：

1 乙烯基酯树脂的质量应符合现行国家标准《乙烯基酯树脂防腐蚀工程技术规范》GB/T 50590 的有关规定；

2 不饱和聚酯树脂的质量应符合现行国家标准《纤维增强塑料用液体不饱和聚酯树脂》GB/T 8237 的有关规定；

3 呋喃树脂的质量应符合现行标准《呋喃树脂防腐蚀工程技术规程》CECS 01 的有关规定。

5.1.3 砌筑胶泥用钾水玻璃的质量应符合国家现行标准《工业设备及管道防腐蚀工程施工规范》GB 50726 和《钾水玻璃防腐蚀工程技术规程》CECS 116 的规定。

5.2 施工工艺

5.2.1 块材内衬的工艺流程宜为：基层处理→底层涂料施工→块材预排→砌筑→养护，钾水玻璃内衬块材应在养护完成后对灰缝进行酸化处理。

5.2.2 基层的处理应符合本规程第 4 章的规定。

5.2.3 底层涂料层的施工应符合下列规定：

1 底层涂料的施工应在金属基层表面处理合格后 4h 内完成；

2 胶凝材料应与砌筑胶泥相同或相容；

3 钾水玻璃底层涂料涂刷的厚度宜为 0.5mm～1.0mm，树脂底层涂料涂刷的厚度宜为 40μm～100μm；

4 底层涂料固化前，应在表面均匀稀撒粒径 0.7mm～1.2mm 的细骨料；

5 底层涂料应与基层黏结牢固，完全固化后方可进行下道施工工序。

5.2.4 各类胶泥的施工配合比应符合下列规定：

1 钾水玻璃胶泥的施工配合比应符合表 5.2.4-1 的规定。

表 5.2.4-1 钾水玻璃胶泥的施工配合比

材料名称	配合比（质量比）	
	底层涂料	胶泥
钾水玻璃	100	100
钾水玻璃胶泥粉（最大粒径 0.45mm）	100	240～250

注：钾水玻璃胶泥粉已含钾水玻璃的固化剂和其他外加剂。

2 乙烯基酯树脂和不饱和聚酯树脂胶泥的施工配合比应符合表 5.2.4-2 的规定。

表 5.2.4-2 乙烯基酯树脂和不饱和聚酯树脂胶泥的施工配合比

材料名称		配合比（质量比）	
		底层涂料	胶泥
乙烯基酯树脂和不饱和聚酯树脂		100	100
稀释剂	苯乙烯	0～15	—
固化剂	引发剂	2～4	2～4
	促进剂	0.5～4	0.5～4
细骨料		—	200～300

3 呋喃树脂胶泥的施工配合比应符合表 5.2.4-3 的规定。

表 5.2.4-3 呋喃树脂胶泥的施工配合比

材料名称	配合比（质量比）	
	底层涂料	胶泥
糠醇糠醛树脂	乙烯基酯树脂和不饱和聚酯树脂打底料	100
糠醇糠醛胶泥粉		350～400

5.2.5 钾水玻璃胶泥的性能应符合表5.2.5的规定。

表5.2.5 钾水玻璃胶泥的性能

项目		钾水玻璃胶泥(普通型)
初凝时间(min)		≥45
终凝时间(h)		＜15
抗拉强度(MPa)		＞2.5
与耐酸砖黏结强度(MPa)		＞1.2
吸水率(煤油吸收法,%)		＜10
浸酸安定性		合格
耐酸极限温度(℃)	100～300	合格
	300～900	合格

5.2.6 树脂胶泥的性能应符合表5.2.6的规定。

表5.2.6 树脂胶泥的性能(MPa)

项目	乙烯基酯树脂	不饱和聚酯树脂	呋喃树脂
抗压强度	＞80	＞70	＞70
抗拉强度	＞9	＞9	＞6
与耐酸砖黏结强度	＞2.5	＞2.5	＞1.5

5.2.7 砌筑胶泥拌合物所用骨料的粒径不应大于1.2mm,骨料的耐酸度不应低于95%,含水率不应大于0.5%。

5.2.8 胶泥的初凝时间宜为45min～60min。各类胶泥拌合物的养护时间应符合表5.2.8的规定。

表5.2.8 各类胶泥拌合物的养护时间(d)

胶泥名称	养护时间
钾水玻璃	＞14
乙烯基酯树脂	7～10
不饱和聚酯树脂	7～10
呋喃树脂(普通型)	7～15

5.2.9 块材应使用机械切割加工,加工后的块材外形尺寸不应小于块材原尺寸的1/3。

5.2.10 砌筑应符合下列规定：

1 块材砌筑前应进行预排，错缝砌筑，不得出现十字缝；

2 宜采用揉挤法砌筑，并应随时刮除多余的胶泥；

3 砌筑时顺序应由低往高，阴角处应先砌筑平面后砌筑立面，阳角处应先砌筑立面后砌筑平面，多层块材的灰缝不得重叠；

4 一次砌筑高度应以砌体不变形为限，应待胶泥固化后继续施工。

5.2.11 砌筑弧拱式砌体时应做弧形拱胎，拱胎的强度、刚度和稳定性应通过计算确定，拱胎应在砌体强度满足承受其自重荷载后方可拆除。

5.2.12 当使用钾水玻璃类胶泥砌筑时，养护完成后应进行酸化处理，酸化处理应符合下列规定：

1 宜采用酸溶液均匀涂刷胶泥表面，次数不宜少于 4 次，直至胶泥表面无白色晶体析出为止；

2 每次涂刷的时间间隔不宜小于 4h；

3 每次酸化处理后应将析出的白色晶体清理干净。

5.3 质量要求

5.3.1 砌体内衬的底层涂料应粘接牢固，灰缝应饱满密实。

5.3.2 砌体内衬灰缝尺寸应符合下列规定：

1 树脂胶泥砌体底层灰缝厚度宜为 4mm～6mm，钾水玻璃胶泥砌体底层灰缝厚度宜为 3mm～5mm；

2 砌体间灰缝宽度宜为 2mm～3mm；

3 砌筑弧拱式结构时，弧顶最后两道灰缝宽度均不应大于 3mm。

5.3.3 砌块内衬后的平整度应符合下列规定：

1 相邻块材之间的错台不应大于 1mm；

2 同一平面内的平整度，用 2m 的靠尺检查，不应大于 4mm；

3 管道沿轴线方向的平整度，用 2m 的靠尺检查，不应大于 4mm。

6 钾水玻璃砂浆内衬

6.1 一般规定

6.1.1 钾水玻璃的质量应符合国家现行标准《工业设备及管道防腐蚀工程施工规范》GB 50726 和《钾水玻璃防腐蚀工程技术规程》CECS 116 的规定。

6.1.2 钾水玻璃砂浆的骨料、施工机具温度宜为 15℃～30℃，当温度低于 10℃时，应采取加热保温措施。

6.1.3 普通型钾水玻璃砂浆的养护期应符合表 6.1.3 的规定。

表 6.1.3 普通型钾水玻璃砂浆的养护期

环境温度(℃)	15～20	21～30	31～35
养护期(d)	14	8	4

6.1.4 当养护环境温度高于 30℃且相对湿度小于 60%，或养护温度不高于 30℃且相对湿度小于 45%时，整体面层在成型后宜用塑料薄膜进行覆盖养护。

6.1.5 钾水玻璃砂浆内衬层的酸化处理，应符合本规程第 5.2.12 条的规定。

6.2 施工工艺

6.2.1 钾水玻璃砂浆内衬层(图 6.2.1)的工艺流程宜为：锚固件焊接⟶基层处理⟶底层涂料施工⟶底层砂浆施工⟶钢板网安装⟶面层砂浆施工⟶养护⟶酸化处理。

6.2.2 锚固件的制作、安装应符合下列规定：

1 制作宜采用 ϕ6mm 的圆钢，应根据胶泥厚度确定锚固件尺寸，并宜加工成“L”形；

2 安装间距宜为 200mm～300mm，宜按梅花状排布，并应与基体焊接牢固。

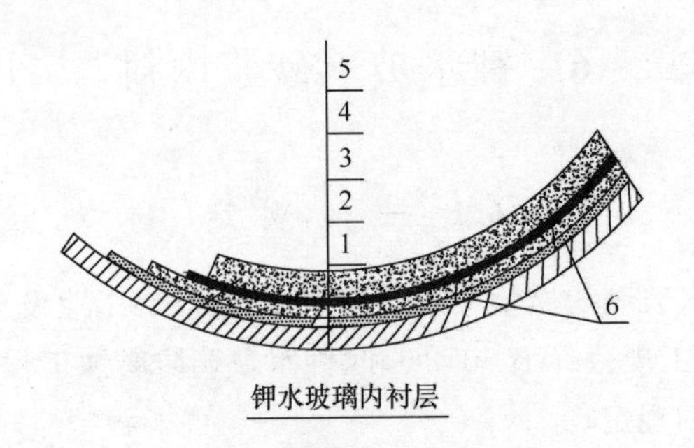

图 6.2.1 内衬胶泥的结构层

1—钢基层;2—底层涂料;3—底层胶泥;4—钢板网;5—面层胶泥;6—锚固件

6.2.3 基层处理应符合本规程第 4 章的规定。

6.2.4 底层涂料施工方法应符合本规程第 5.2.3 条的规定。

6.2.5 钾水玻璃砂浆应符合下列规定:

1 钾水玻璃砂浆的稠度,用于管道上半部施工的砂浆圆锥沉入度宜为 30mm～35mm,用于管道下半部的宜为 40mm～45mm;

2 钾水玻璃的施工配合比应符合表 6.2.5 的规定。

表 6.2.5 钾水玻璃的施工配合比

材料名称	混合料最大粒径(mm)	配合比(质量比)		
		钾水玻璃	钾水玻璃胶泥混合料	钾水玻璃底层涂料混合料
底层涂料	—	100	—	100
钾水玻璃砂浆	1.25	100	300～360	—
	2.50	100	340～420	—

6.2.6 钾水玻璃砂浆内衬施工应符合下列规定:

1 配料用的工具、容器应耐腐蚀,并应清洁、干燥;

2 砂浆宜采用机械搅拌,应随用随配,配制好的砂浆应在 30min 内用完;

3　砂浆应按设计厚度合理分层施工，每层厚度宜控制在5mm～8mm；

4　每层砂浆应黏结密实、无流坠；

5　底层和中间层砂浆表面不应收光，面层应收光；

6　相邻两层砂浆的施工间隔时间不宜少于24h；

7　相邻两层砂浆的施工缝距离不应小于100mm。

6.2.7　钢板网的安装应符合下列规定：

1　钢板网宜在砂浆施工至设计厚度的1/3～1/2时安装；

2　钢板网的接缝宜采用对接；

3　钢板网安装应平整，无凹凸和翘边；

4　钢板网应与锚固件可靠固定，砂浆施工过程中钢板网不应起伏晃动。

6.3　质量要求

6.3.1　钾水玻璃砂浆内衬面层应平整，无裂缝和起皱，各层之间结合应密实牢固，不应出现脱层、起壳。

6.3.2　砂浆内衬层的厚度应符合设计要求。

6.3.3　钢板网的砂浆保护层厚度应符合设计要求，当设计无要求时不应小于5mm。

7 玻璃鳞片内衬

7.1 一般规定

7.1.1 用于配制的鳞片材料性能应符合现行行业标准《中碱玻璃鳞片》HG/T 2641 的规定。

7.1.2 配制鳞片的树脂性能应符合现行国家标准《建筑防腐蚀工程施工质量验收规范》GB 50224 的规定。

7.1.3 底层涂料、面层涂料、玻璃鳞片胶泥应采用相同的树脂配制，固化剂必须与所选用的树脂相匹配。

7.1.4 玻璃鳞片胶泥和涂料的养护期不应少于 7d。

7.2 施工工艺

7.2.1 玻璃鳞片胶泥内衬的工艺流程宜为：基层处理⟶底层涂料施工⟶胶泥施工⟶面层涂料施工⟶养护。

7.2.2 玻璃鳞片涂料内衬的工艺流程宜为：基层处理⟶底层涂料施工⟶面层涂料施工⟶养护。

7.2.3 基层处理应符合本规程第 4 章的规定。

7.2.4 底层涂料和面层涂料的施工应符合下列规定：

1 涂料应按照比例加入固化剂并均匀搅拌，配制好的涂料应在 30min 内使用完；

2 刷涂和滚涂不宜少于 2 遍，重涂时间不应少于 12h，两次涂刷方向应相互垂直。

7.2.5 玻璃鳞片胶泥的配置宜在真空度不低于 0.08MPa 的搅拌机中搅拌均匀。

7.2.6 玻璃鳞片胶泥的施工应符合下列规定：

1 玻璃鳞片胶泥的施工应在底层涂料施工 12h 后进行。

2 玻璃鳞片胶泥宜采用人工涂抹(刮抹)的方法进行施工。

3 应将玻璃鳞片胶泥摊铺在底涂层表面,用抹刀(刮板)单向有序、均匀地涂抹。

4 每道玻璃鳞片胶泥内衬的施工厚度不宜大于1mm。

5 在玻璃鳞片胶泥初凝前应用沾有适量稀释剂的羊毛辊往复滚压直至胶泥层光滑均匀。

6 同层涂抹的接缝应采用斜茬搭接,搭接宽度不应小于50mm,两层胶料的涂抹方向应相互垂直。

7 两层鳞片胶泥涂抹施工的间隔时间应符合表7.2.6的规定。

表7.2.6 两层鳞片胶泥涂抹施工的间隔时间

环境温度(℃)	10	20	30
最短涂抹时间(h)	10	5	3
最长涂抹时间(h)	48	36	24

8 鳞片胶泥涂抹达到设计厚度后,应涂刷面层涂料。

7.2.7 玻璃鳞片胶泥表面缺陷的修补,应符合现行行业标准《玻璃鳞片衬里施工技术条件》HG/T 2640的有关规定。

7.3 质量要求

7.3.1 玻璃鳞片涂料和胶泥的施工质量应符合现行国家标准《工业设备及管道防腐蚀工程施工规范》GB 50726的规定。

7.3.2 玻璃鳞片涂料内衬层的检查应符合下列规定:

1 设备内衬涂层厚度的检查应逐台进行,每台抽取3点,管道内衬涂层厚度的检查应每20m抽查3点,不足20m按20m计;

2 涂层厚度检测点应随机抽检,每个检测点宜为100mm×100mm范围,在该范围内应任意测量5个数据,可取平均值作为该测点的厚度值;

3 涂层厚度小于设计规定厚度的测点数不应大于总测点数的10%,且任一测点处实测厚度不应小于设计规定厚度的90%;

4 涂层应附着良好，当设计对附着力有要求时，应进行测定，附着力的测定应符合现行国家标准《漆膜附着力测定法》GB 1720 的规定。

7.3.3 玻璃鳞片胶泥内衬层的检查应符合下列规定：

1 玻璃鳞片胶泥内衬层表面应平整，颜色应均匀，并应无气泡、凹凸、裂纹，面层与基层黏结应牢固，应无起壳或脱层；

2 玻璃鳞片胶泥表面应完全固化，硬度应符合设计规定，当设计无规定时应大于产品标准的90%，硬度检查应执行现行国家标准《纤维增强塑料巴氏(巴柯尔)硬度试验方法》GB/T 3854 的规定；

3 玻璃鳞片胶泥厚度小于设计规定厚度的测点数不应大于总测点数的10%，且任一测点处实测厚度不应小于设计规定厚度的90%。

8 其他内衬

8.1 管道伸缩节内衬

8.1.1 管道伸缩节部位现场内衬的工艺流程宜为：导流管除锈→导流管外壁涂层施工→导流管安装→导流管内衬→空隙填充。

8.1.2 导流管的内衬应符合下列规定：

1 导流管在安装前应进行除锈和外壁防腐施工；

2 导流管安装完成后应清理焊渣并检查内衬基层；

3 导流管的内衬方法与管道内衬相同，当采用钾水玻璃砂浆、玻璃鳞片胶泥及涂料时，内衬方法应分别执行本规程第 6 章、第 7 章的规定；

4 导流管与膨胀节空隙处宜填充柔性耐腐蚀材料，填充应密实。

8.2 管道与设备间的补强内衬

8.2.1 玻璃鳞片胶泥内衬管道与设备连接处宜采用树脂玻璃钢局部补强。

8.2.2 玻璃鳞片胶泥内衬管道与设备间补强应符合下列规定：

1 树脂玻璃钢与玻璃鳞片胶泥应采用相同的树脂；

2 树脂玻璃钢的施工应符合现行国家标准《建筑防腐蚀工程施工质量验收规范》GB 50224 的有关规定；

3 树脂玻璃钢施工前应将需要补强的焊缝处、阴阳角处用胶泥刮成圆弧形或 45°斜面；

4 树脂玻璃钢施工 12h 后应将毛边、气泡或脱层清除干净，并应采用玻璃鳞片胶泥填平补齐。

8.3 施工孔洞的封堵与内衬

8.3.1 管道内施工孔应在整体内衬施工完成后封堵，并应按照原设计方式进行内衬施工。

8.3.2 施工孔周围 200mm 范围内的内衬，宜与施工孔的内衬同步完成。

9 安全技术要求

9.0.1 施工前应根据作业环境和施工工艺，编制安全专项施工方案，并应进行安全技术交底。

9.0.2 施工现场应制定火灾、爆炸、中毒、窒息应急预案，必须落实通风、消防措施，并应保持消防通道畅通。

9.0.3 管道内衬施工期间应设置施工孔洞，施工孔洞设置应符合下列规定：

1 任一作业点距离施工孔洞距离应小于25m；

2 施工孔洞直径不应小于600mm；

3 施工孔洞数量不应少于2个；

4 施工孔洞处应设操作平台和安全通道。

9.0.4 内衬施工不应与其他专业交叉作业。

9.0.5 树脂类胶凝材料严禁在管道内配制。

9.0.6 内衬施工照明应使用12V安全电压。

9.0.7 内衬作业防火安全管理应符合下列规定：

1 内衬作业区、配料区、材料存放区应设置20m范围的防火警示隔离，并应配有警示隔离标志，隔离区内不得进行动火作业；

2 防火隔离区内应使用防爆电器；

3 作业人员进入隔离区应穿防静电工作服；

4 防火隔离区内应通风良好；

5 每个作业点应配备不少于两只手提式灭火器。

9.0.8 过氧化物应随用随领，不得泄漏、受热、撞击，不得用金属容器贮存，使用时严禁与促进剂直接混合。

9.0.9 内衬用防腐蚀材料在运输、储存、使用、废弃物处置过程中应严格遵守国家现行安全、环保、职业健康方面的规定，并应设专用库房专人保管。

10 环境保护

10.0.1 施工现场的粉尘、废气、废水、固体废弃物的处置应符合现行行业标准《建设工程施工现场环境与卫生标准》JGJ 146 的有关规定。

10.0.2 废弃的化学溶剂容器及残留物必须由专业人员集中处置，严禁现场焚烧和随意倾倒。

10.0.3 存放化学溶剂和内衬防腐蚀材料的库房地面应做防渗漏处理。

10.0.4 施工废弃物应堆放至现场指定区域，并应及时拉运清场。

11 职业健康安全

11.0.1 内衬施工应进行现场有害气体、粉尘的监控。有害气体和粉尘浓度应符合现行国家标准《工作场所有害因素职业接触限值 第1部分:化学有害因素》GBZ 2.1和《工作场所有害因素职业接触限值 第2部分:物理因素》GBZ 2.2的有关规定。

11.0.2 施工现场应配备不间断强制通风设备,应保持管道内通风良好。

11.0.3 内衬施工作业人员必须穿戴个人防护用具。

11.0.4 内衬施工必须设现场专职安全监护人员,必须随时检查作业环境及作业人员的安全状况。

11.0.5 高度超过2m的垂直烟道内施工应执行高空作业规定。

本规程用词说明

1 为便于在执行本规程条文时区别对待，对要求严格程度不同的用词说明如下：

1）表示很严格，非这样做不可的：

正面词采用“必须”，反面词采用“严禁”；

2）表示严格，在正常情况下均应这样做的：

正面词采用“应”，反面词采用“不应”或“不得”；

3）表示允许稍有选择，在条件许可时首先应这样做的：

正面词采用“宜”，反面词采用“不宜”；

4）表示有选择，在一定条件下可以这样做的，采用“可”。

2 条文中指明应按其他有关标准执行的写法为：“应符合……的规定”或“应按……执行”。

引用标准名录

《建筑防腐蚀工程施工规范》GB 50212

《建筑防腐蚀工程施工质量验收规范》GB 50224

《乙烯基酯树脂防腐蚀工程技术规范》GB/T 50590

《工业设备及管道防腐蚀工程施工规范》GB 50726

《漆膜附着力测定法》GB 1720

《纤维增强塑料巴氏(巴柯尔)硬度试验方法》GB/T 3854

《纤维增强塑料用液体不饱和聚酯树脂》GB/T 8237

《耐酸砖》GB/T 8488

《涂覆涂料前钢材表面处理　表面清洁度的目视评定　第1部分:未涂覆过的钢材表面和全面清除原有涂层后的钢材表面的锈蚀等级和处理等级》GB/T 8923.1

《工作场所有害因素职业接触限值　第1部分:化学有害因素》GBZ 2.1

《工作场所有害因素职业接触限值　第2部分:物理因素》GBZ 2.2

《建设工程施工现场环境与卫生标准》JGJ 146

《耐酸耐温砖》JC/T 424

《玻璃鳞片衬里施工技术条件》HG/T 2640

《中碱玻璃鳞片》HG/T 2641

《呋喃树脂防腐蚀工程技术规程》CECS 01

《钾水玻璃防腐蚀工程技术规程》CECS 116

中华人民共和国行业标准

酸性烟气输送管道及设备内衬施工技术规程

YS/T 5429－2016

条 文 说 明

制 订 说 明

《酸性烟气输送管道及设备内衬施工技术规程》YS/T 5429—2016经中华人民共和国工业和信息化部2016年4月5日以第17号公告批准发布。

为便于广大设计、施工、生产、科研、高等院校等有关单位和人员在使用本规程时能正确理解和执行条文规定,《酸性烟气输送管道及设备内衬施工技术规程》编制组按章、节、条顺序编制了本规程的条文说明,对需要解释的条文规定的目的、依据以及执行中需要注意的有关事项进行了说明。但是,本条文说明不具备与规程正文同等的法律效力,仅供使用者作为理解和把握规程规定的参考。

目　次

1　总　　则 …………………………………………………………（29）
2　术　　语 …………………………………………………………（30）
3　基本规定 …………………………………………………………（31）
4　基层处理 …………………………………………………………（32）
5　块材内衬 …………………………………………………………（33）
5.2　施工工艺 ………………………………………………………（33）
5.3　质量要求 ………………………………………………………（33）
6　钾水玻璃砂浆内衬 ………………………………………………（34）
6.1　一般规定 ………………………………………………………（34）
6.2　施工工艺 ………………………………………………………（34）
6.3　质量要求 ………………………………………………………（34）
7　玻璃鳞片内衬 ……………………………………………………（36）
7.2　施工工艺 ………………………………………………………（36）
7.3　质量要求 ………………………………………………………（36）
8　其他内衬 …………………………………………………………（37）
8.1　管道伸缩节内衬 ………………………………………………（37）
8.2　管道与设备间的补强内衬 ……………………………………（37）
8.3　施工孔洞的封堵与内衬 ………………………………………（37）
9　安全技术要求 ……………………………………………………（38）
10　环境保护 …………………………………………………………（40）
11　职业健康安全 ……………………………………………………（41）

1 总　　则

1.0.2 有色金属冶炼烟气含有二氧化硫等多种酸性气体,烟气温度较高,含有大量粉尘和微量水汽。输送该烟气的管道及附属设备现场内衬施工,若管径过小,人员无法进入,不适宜做现场内衬。附属设备指应用于烟气管道的膨胀节以及大型阀门(阀门与管道连接处需要内衬补强)等。

2 术　　语

2.0.3 浸酸安定性的检验方法为：将固体材料在高纯硫酸中浸泡45d后取出擦拭，检验其外观，无裂纹、剥落、膨胀，外表色泽无明显变化、酸液无明显变色，即认定浸酸安定性合格。

3 基本规定

3.0.2 管道的压力或泄漏性试验是内衬施工的上道工序，首先完成管道试验，可以避免试验或结构层修补对内衬造成破坏。

3.0.3 施工环境温度对水玻璃和树脂配制的胶泥、砂浆的固化速度有直接影响，对最终固化强度和密实度也有影响。环境温度太低，固化速度较慢，甚至不固化。环境温度太高，固化速度太快，施工不宜控制。根据施工经验，环境温度在10℃～30℃时，固化速度满足施工需要，施工质量可以保证。

3.0.4 空气相对湿度大会减缓树脂胶料的固化速度，影响成品质量。为了避免空气中的水汽进入胶凝材料，可以提高施工基体、施工器具、材料的温度，保证其高于环境露点温度3℃以上，可以避免结露。

3.0.5 胶凝材料的固化程度与环境温度、湿度及固化剂的加入比例有关，因此需要根据现场的环境条件进行小样试验确定配合比。

3.0.6 不同厂家的胶凝材料固化体系可能不同，混合使用后施工配合比难以控制。

3.0.7 内衬层要进行保护，避免因撞击、敲打、烘烤而破坏内衬层，从而影响施工质量。

3.0.8 内衬层的养护期与环境温度、材料的固化性能有关，可以通过同条件试块的强度确定养护期。

4 基 层 处 理

4.0.3 本条规定是为了保证基层表面的平整度，确保下道工序的施工质量。为了增加内衬层与基层的附着力，基层表面的残留物要全部清理干净。

4.0.5 内衬施工对基层的要求较高，基层施工和内衬施工通常由不同专业的班组完成，基层质量对内衬质量有着重要的影响，因此规定工序验收和交接显得格外重要。

5 块 材 内 衬

5.2 施 工 工 艺

5.2.3 金属基层表面处理后若不及时进行底层涂料施工，金属基层表面易返锈，表层金属氧化物会在底层涂料与金属基层之间形成隔离，降低黏结强度。均匀稀撒细骨料的主要目的在于增加表面粗糙度，增强块材结合层与底层涂料之间的黏结强度，减少内衬层的空鼓。

5.2.10 块材预排可以减少材料切割造成的损耗，提高成品的外观质量。错缝砌筑增强了砌体的整体性和相邻块材之间的咬合力。多余的胶泥要在半固化状态时全部刮除，若砌筑后立即刮除，胶泥固化收缩会导致灰缝下陷，完全固化后强度较大，不易刮除。

5.2.12 酸化采用的酸溶液可以根据现场具体情况选用，盐酸由于具有挥发性，不便于现场操作，因此酸化常用 30%～40%的硫酸。

5.3 质 量 要 求

5.3.1 底层涂料粘接不牢固会导致砌体空鼓或脱落，灰缝不饱满，易产生积液，介质浸入后导致内衬层失效。

5.3.2 块材防腐蚀层的质量主要取决于灰缝的质量。灰缝尺寸的大小受块材种类及胶泥种类的影响。灰缝过小，施工时不易做到饱满密实，且不利于砌块温变时的膨胀和收缩，影响使用年限。灰缝过大，则胶泥或砂浆用量多，造价高，灰缝中胶泥或砂浆收缩亦大，易出现裂纹。

6 钾水玻璃砂浆内衬

6.1 一 般 规 定

6.1.2 常用的加热方式是对骨料加热，对拌和后的砂浆保温。

6.1.3 酸性烟气管道内衬常用普通型钾水玻璃砂浆，不用密实型钾水玻璃砂浆。

6.2 施 工 工 艺

6.2.2 锚固件制作要便于牢固焊接和方便紧固钢板网。具体安装间距可根据管径大小确定，钢板网与锚固件紧固后，钢板网要紧贴管道内壁。

6.2.5 管道上半部施工时需要较高黏稠度解决重力作用下砂浆下坠而导致粘接不牢固的问题。

6.2.6 底层和中间层的砂浆，其表面要有一定的粗糙度，可以提高与下一层砂浆的黏结强度。规定两层砂浆的施工间隔时间，是为了保证后一道砂浆施工不对前一道砂浆造成破坏。

6.2.7 若钢板网先完成安装，再进行第一层砂浆施工，往往因一次施工的砂浆过厚，钢板网内不易填补密实。钢板网在施工接茬时，采用对接方式而不采取搭接方式，这样可以避免搭接部位钢板网过厚，对接部位可采用扎丝绑扎。钢板网安装固定不牢固，砂浆施工时发生起伏晃动，会影响砂浆密实度，导致砂浆脱落或开裂。

6.3 质 量 要 求

6.3.2 砂浆内衬层厚度的检测，在砂浆层完全固化前，可以使用探针检测。当砂浆内衬层完全固化后，使用探针检测有困难，可以使用局部剖检等方法。检测完成后须将检测部位修补完整。

6.3.3 保护层的厚度太小，钢板网容易受到腐蚀，降低了钢板网在内衬层中的作用，导致砂浆层脱落。

7 玻璃鳞片内衬

7.2 施工工艺

7.2.1、7.2.2 玻璃鳞片内衬包括玻璃鳞片胶泥内衬、玻璃鳞片涂料内衬。

7.2.4 为防止漏涂和便于各层的质量检查，各层一般可调配成不同的颜色。

7.2.5 由于玻璃鳞片胶泥是膏状的，如果不采用真空搅拌，加入固化剂后再搅拌，很容易将空气带入胶泥中而难以排出，使得内衬层的致密性受到影响，留下隐患。

7.2.6 玻璃鳞片胶泥的单向刮抹施工，易使内衬层表面不平整，通过滚压作业可使胶泥更密实、层间附着力增加。规定最短涂抹时间，是为了保证前一层胶泥有足够的强度，不至于因后一层胶泥的施工使其受到扰动。规定最长涂抹时间，就是在前层胶泥没有完全固化前及时施工后一层胶泥，使两层胶泥更好地融合。

7.3 质量要求

7.3.2 涂层测厚仪器品种较多，应用较为普遍。金属基层可以采用测厚仪检测，混凝土基层可以采用超声波等仪器探测。对于金属基层的内衬，可以使用电火花检测内衬层的针孔缺陷。电火花的试验电压数值应由设计或有资质的检测机构确定。电压过高可能会击穿或破坏合格的内衬层。

7.3.3 胶泥内衬层有气泡、开裂、剥落、脱层等缺陷，将导致内衬层失效，是内衬层质量检查的重要控制项。

8 其他内衬

8.1 管道伸缩节内衬

8.1.2 导流管在安装后，外壁隐蔽在膨胀节内，无法再进行除锈和涂装，因此在导流管安装前，就要对外壁进行除锈和涂层施工。导流管的内壁除锈可以参照管道内壁除锈，可在安装前或安装后进行。

伸缩节在使用过程中沿着管道轴线方向伸缩，其内壁在现场的内衬通常采用导流管内衬，并在导流管和膨胀节间隙内可以填充玻璃纤维、硅酸铝保温毡等柔性材料，既能减少酸性烟气对膨胀节的腐蚀，又能满足膨胀节的自由伸缩。导流管一端焊接在管道内部，焊接部位距离膨胀节 200mm 左右，末端作为自由端，伸出膨胀节 200mm 左右。导流管焊接部位位于烟气上游，自由端位于下游。导流管的管径由设计给出，管径过小会增加烟气阻力，管径过大则不利于施工操作。

8.2 管道与设备间的补强内衬

8.2.2 采用不同树脂可能会引起两种材料起化学反应或者两种材料粘接不牢固发生脱层现象。将焊缝、阴阳角进行胶泥预处理是为了保证纤维材料施工中不会出现空鼓、折角现象。

8.3 施工孔洞的封堵与内衬

8.3.2 管道内衬施工时，在施工孔周边预留 200mm 范围，一是防止施工孔因使用频繁，在施工期间孔周边的内衬层不便于成品保护，二是防止施工孔在焊接封堵时的高温破坏内衬层，三是增加了最后内衬部分的面积，有利于施工操作。

9 安全技术要求

9.0.1、9.0.2 管道内衬施工在受限空间内作业，施工用材料大部分易燃易爆，且部分为有毒物质，属于危险性较大的工程。因此，施工前应根据现场实际情况编制专项施工方案及防火、防毒等应急预案，并进行交底、演练，让参加作业的各类管理人员、作业人员了解作业过程中的危险、危害因素及可能出现的后果，同时让所有人员掌握一定的救援及自救技能。

在施工过程中要及时检查通风措施，定期通风，降低空气中有毒物质的浓度，防止施工人员吸入过量的有毒气体发生中毒事故。同时，为保证一旦发生火灾事故能及时救援，必须确保消防措施齐全有效，而且场地内消防通道不能有杂物阻挡，保证消防车辆能顺利抵达。

9.0.3 管道内衬施工应按现场实际情况设置施工孔洞，同时，该施工孔洞兼顾安全逃生出口，在万一发生火灾及中毒事故时便于逃生及救援，故本条规定了施工孔洞的数量、孔径、间距等技术性要求。

9.0.5 树脂类材料具有挥发性及可燃性，在受限空间内配置极易发生安全事故，同时管道内配置胶泥产生的杂物不易清理，不便于成品保护。

9.0.6 管道内衬作业属于受限空间内施工，且作业过程中有发生爆炸及火灾的安全隐患，本条是根据现行行业标准《施工现场临时用电安全技术规范》JGJ 46 和现场作业环境规定的。

9.0.7 防腐蚀施工的材料大部分是易燃易爆的危险化学品，部分材料具有挥发性，在施工过程中若处置不当，容易发生火灾和爆炸事故，因此在现场要设置防火隔离区，配备灭火器材，并杜绝在内衬作业和养护期内的动火作业。同时,为防止静电火花引起火灾或爆炸事故,内衬作业还应穿戴防静电工作服。作业点要配备灭火器材。

9.0.8 过氧化物具有强氧化性,结晶后极易发生爆炸,导致火灾、爆炸及人身伤害事故的发生。使用过程中,过氧化物与促进剂必须分别加入树脂中,严禁过氧化物与促进剂直接混合。建议先加入促进剂搅拌均匀再加入过氧化物引发剂,以免因两者直接接触引起剧烈化学反应,甚至引起火灾及爆炸事故。

9.0.9 对于易挥发、易燃易爆或有腐蚀性质的物资,需要加强管理,按照危险化学品管理办法,严格运输、存储、领用、余料回收、废弃物处置管理。

10 环境保护

10.0.4 本规程所用的部分材料对环境具有严重危害，应特别注意对于周边土壤、大气和水源的保护。因此对于施工过程中产生的废弃物，如盛放材料的容器及材料残留物，应由专业人员负责及时处置。同时，对于贮存的库房要采取防水、防渗漏、防流失的措施。

11 职业健康安全

11.0.1、11.0.2 内衬施工的作业场所有害气体及粉尘极易超过国家有关标准的限值，对人体产生危害。因此本规程根据内衬施工特点，要求作业现场配备必要的通风设备，连续运转，降低工作场所的有毒有害物质浓度，使其满足国家劳动保护及卫生部门规定的要求。可以结合管道走向及自然风向，设置强制通风方向，进风口设置在管道低入口处，排风口设置在管道高处。

11.0.3 内衬施工用原材料大都具有毒性，对作业人员有直接或间接的危害，为保证施工人员的安全健康，作业时必须穿戴好劳保用品，还可以在操作前涂防护膏和液体手套，尽量减少胶粘剂与人体的直接接触。配制毒性较强的物料时，还应按规定佩戴防毒面具、滤毒口罩等，避免中毒事故。

11.0.4 现场有害气体浓度可采用便携式气体环境监控仪进行监控。现场专职安全监护人员及管道外协作人员应和管道内作业人员保持密切、连续的联系。